Gatimañas

TEXTO: **Rocío Miranda**   ILUSTRACIONES: **Fabricio Vanden Broeck**

Reloj de cuentos

Qué necios resultaron en esta casa. Insisten
en cargarme y acariciarme cuando todo el mundo
sabe que a los gatos no nos gustan los extraños;
y yo a éstos, ni los conozco. Inclusive cuando
llegan a ganarse nuestra confianza,

4  hay que hacerles entender que
nosotros elegimos con quién estar.
Además huelen rarísimo. No he podido
acostumbrarme. Cada vez que se me acercan
los olisqueo esperando que hayan mejorado,
pero nada, apestan igual.

Para colmo, tienen perro. Huele menos feo
que ellos, pero un perro es de todas formas
insoportable. Estaba seguro de que me molestaría,
de que me correteraría para tratar de morderme;
pero no, resultó ser una perra más bien

6 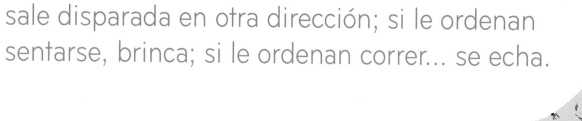 tonta, aparte de fea. No logra diferenciar
las órdenes: si le lanzan un palo
para que lo traiga de regreso, va por él pero
sale disparada en otra dirección; si le ordenan
sentarse, brinca; si le ordenan correr... se echa.

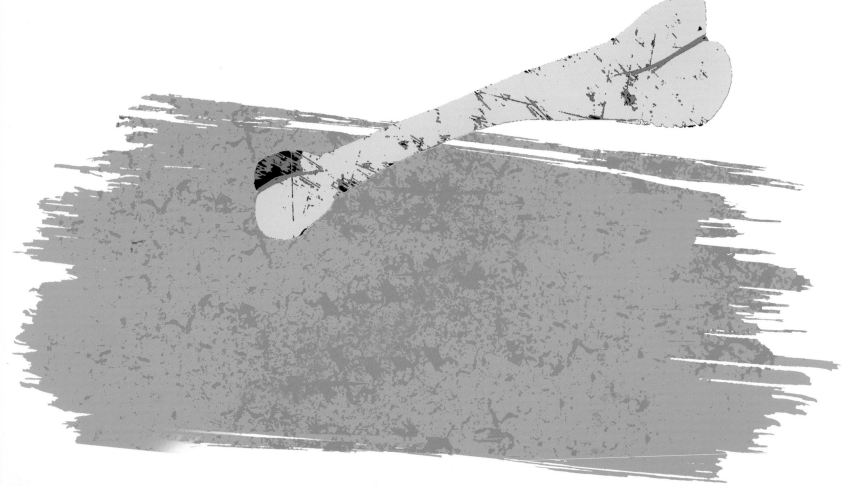

A mí, desde luego, me tiene sin cuidado que obedezca o no. Para efecto de mis intereses es mucho mejor que sea tonta, así los mantiene entretenidos con la esperanza de que aprenda mientras yo hago exactamente lo que me place. Mi mamá

8  me enseñó un viejo truco, decía que los humanos creen que los perros son más inteligentes que nosotros y por eso les exigen que aprendan tantas cosas, así es que nos iría mucho mejor en la vida si aparentábamos no entender: "Cuando algún humano ignorante trate de enseñarte gracias —decía también— ni lo mires, quédate exactamente como estés, inmóvil como una estatua, y ya verás que te dejará en paz. Y si acaso es terco e insiste, como la mayoría, vete a otro lugar. Terminará por aceptarlo." Mi madre era muy sabia.

La perra se llama Cata. Era imposible no enterarse de inmediato porque todo el tiempo le gritan. Parece que no supieran que los perros tienen un oído extraordinariamente sensible, porque cada vez que Cata hace algo que no les gusta, le gritan. Y como ya dije que es tonta, pues a cada rato oigo:

"¡Que no Cata... que no entres... que te vayas de aquí Cata... Cata deja eso!"... y así todo el día.

Por si acaso, en la primera oportunidad que se presentó, fingí que le tenía miedo a la perraza aquélla; así, todos se encargarían de que no me molestara.

¿CATA?

¡CATA!

¡Cata!

Fue más fácil de lo que pensé, porque éstos son igual de tontos que los perros, creen que el tamaño nos asusta; como si no pudiéramos brincar a alturas insospechadas mucho antes de que ellos lo piensen siquiera.

La pobre entró a la cocina creyendo que como era la hora de su comida seguramente ahí estaría su plato servido, pero se topó conmigo y, como bien sé de esa extraña costumbre que tienen los perros de andarle oliendo el trasero al que se deje, me quedé quieto esperando que lo intentara... Y tal cual, apenas se acercó un poco a mí con su cara de zonza, adopté la típica actitud felina de ataque y defensa: parado en puntas, el cuerpo encorvado, las orejas gachas hacia atrás y gruñendo horrible; enseguida me arranqué a correr por todos lados, entre los pies de los demás, entre las patas de las sillas, tiré el bote de basura, maullé a todo volumen... La perra no sabía ni qué hacer, sólo atinó a dar unos ladridos que nada más lograron empeorar las cosas.

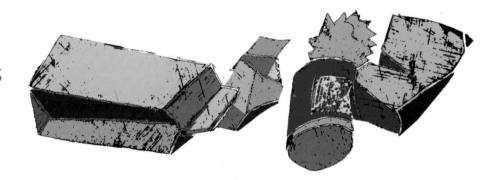

Quizá exageré, después de todo no es mala.
Pero sí muy torpe, siempre que la llaman viene
como estampida de búfalos. Claro, todos nos
echamos a temblar esperando lo peor... y tiro
por viaje: rompe una maceta, voltea
una silla, derrama el agua de la cubeta
o por lo menos pisa a alguien; el caso

es que siempre sale regañada. Por si eso fuera
poco, tiene la irritante manía de esconder en su
casa lo que encuentra por ahí; no sé para qué.
Entiendo perfectamente que le dé curiosidad,
yo por eso inspecciono acuciosamente todo:
el closet, los cajones, la alacena, los espacios
tras los muebles; observo, registro,
averiguo qué hay. Mi naturaleza
indagatoria me ha llevado varias
veces a quedarme encerrado,
pero no me llevo nada, si acaso
me como las arañas que encuentro.

Lástima, me dio un poco de pena que por
el escándalo que armé la sacaran a patadas
de la cocina y se quedara sin cenar... que bueno,
tampoco se perdió de gran cosa, porque sólo le

dan de comer una vez al día y no siempre
su alimento especial, no; le encantan las
sobras... revueltas además, no una cosa
primero y luego la otra... no, todo junto en un
batidillo nauseabundo. Yo prefiero tener siempre
a mano mi plato con croquetas frescas, porque
si pretenden que me coma las que dejé, y que ya
se pusieron aguadas, arranco a maullar y con tal
de no oírme me sirven de inmediato unas nuevas.
Pero ella disfruta su comida. Qué rara.

Mientras más conozco a los perros, más me
alegra ser gato. Yo me divierto con cualquier cosa:
las cortinas que cuelgan, los papeles arrugados
del cesto, las moscas, las agujetas de los zapatos,
los pies bajo las cobijas... ataco todo lo

  que se mueve. En particular me gustan
las hojas que caen del árbol; las pateo
y persigo como si fueran pelotas, como si tuvieran
vida propia salto sobre ellas, las cazo, las vuelvo
a patear y de pronto... me detengo... quedo
absolutamente inmóvil, como petrificado,
disimulo, aparento que no
las veo, pero en realidad las
acecho con el rabillo del ojo...
y de pronto: ¡zas!, las atrapo
entre mis garras, me revuelco
con ellas en el piso, las
muerdo, las lanzo al aire
y vuelvo a empezar...

Cata, en cambio, no sabe divertirse sola; se aburre tremendamente. Siempre quiere que le hagan caso, apenas ve que alguien va a salir se pone contentísima a correr y correr. Y si por casualidad cogen su cadena, mejor: cree que la van a sacar de paseo.

¿Le gustará eso de ir amarrada con tremenda cadena pesadísima en el cuello?

Lo que es a mí, nada más con que trataran de ponerme un collar, ya no digamos una cadena, armaría tal escándalo que no volverían a intentarlo.

Dicen que los gatos tenemos un sexto sentido que nos permite conseguir lo que queremos. No sé. Yo creo que sólo es cosa de insistir. Como decía mi madre: "Si te gusta un sillón, pues échate en él; te quitarán una, dos, tres veces, pero a la larga terminarán por entender que ése es tu sillón y ya no te molestarán. Cuando mucho tratarán de que lo compartas con ellos haciéndote cariños, pero no te volverán a quitar de ahí."

Pero esta perra... de veras que no entiende
nada. Comete una tontería tras otra. El otro
día, por ejemplo, mientras yo cazaba un
pájaro (por aquello de mantenerme en forma,
pues no sabe uno cuándo tendrá necesidad
de buscarse el sustento)... se puso a ladrar
y a brincar como una loca; no me sorprendió
porque siempre le ladra a todo lo que le parece extraño:
a las ardillas que andan en los árboles, a las personas
que se asoman por las azoteas, a los coches que se
paran frente a la casa... en fin, hasta al timbre de la
puerta cuando alguien toca. No sé para qué demonios
ladra cada vez que alguien toca la puerta, ha de creer
que todos los demás somos sordos.

El caso es que ese día se puso peor que de costumbre, ladraba con más insistencia, brincaba hacia el árbol… y no había ardillas, sólo estábamos el pajarraco y yo; a saber qué quería hacer, si no fuera porque la conozco, pensaría que quería

ganarme la presa. Claro que no podría; ¿cuándo se ha visto que un perro se suba a un árbol? Lo único que consiguió, además de amargarme el bocado con el susto, fue lastimarse una pata. De por sí fea y torpe… pues ahora, de pilón: coja.

Capaz que ésta se nos muere, pensé. Ya no salía
de su casa, si acaso para tomar agua; pero ya nada de
carreras desbocadas, ni destrozos... Vamos, ni comer
quería (si me dieran lo que a ella, tampoco querría).
Y no creo que fuera por la pata lastimada,

porque trajeron a un tipo, más raro
que los demás por cierto,
que estuvo revisándola por todos
lados, le jaló la pata, se la dobló...
pobre, hasta le clavó una aguja
"para que le doliera menos",
según oí. No sé cómo alguien
puede sentir menos dolor
precisamente cuando le clavan

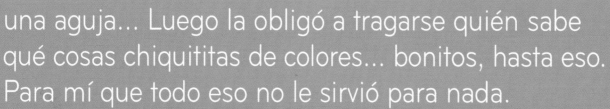

una aguja... Luego la obligó a tragarse quién sabe
qué cosas chiquititas de colores... bonitos, hasta eso.
Para mí que todo eso no le sirvió para nada.
En fin, a mí qué más me daba. Ahora estaría más
a gusto que antes; sin los latosos ladridos de la perra.

Pero varios días después de que se lastimó, caí en la
cuenta de que será fea, tonta, torpe y coja, pero....
la verdad es que, para ser perra, no es tan insoportable.
A mí, de hecho, nunca me molesta.

Es más, había que reconocer que con ella
observándome, me podía imaginar que en
vez de estar jugando en un patio, estaba yo en
medio de la maleza, con enormes animales acechándome...
Pensándolo bien, sin ella me divertía menos. Así
que hice lo que hice. Apenas creo que haya sido capaz.
Bien dicen que la curiosidad puede matar al gato...
(lo malo es que en este caso el gato soy yo), pero no
pude contenerme, a pesar del peligro que corría.

Por una parte me intrigaba muchísimo ver qué demonios habría dentro de la casa de Cata y, por otra parte, quería asegurarme de que no se estaba haciendo buey, siendo que es perra, como bien sabemos... así es que lo hice poco a poco.

  Primero aventé una hojita por ahí, luego otra más allá y así me fui acercando cada vez más. Hasta que, por fin, un día me animé y de plano le salté encima. Su sorpresa fue tanta que ni siquiera ladró. Salté de nuevo y eché a correr.

Al día siguiente repetí la operación, pero cuando le caí encima aproveché para darle unos manazos en plena cara, como no queriendo... y me fui de inmediato.

Después todo fue cosa de insistir e insistir. Al cabo de unos cuantos días logré que se levantara y luego hasta que me correteara por el patio tratando de alcanzarme y... bueno, pues una vez más comprobé que la perseverancia es una cualidad que está del lado de los gatos.

Cata, aunque sigue sin entender nada y ladrando más de lo habitual cuando trato de cazar pájaros, parece aliviada. Y yo, me he vuelto a divertir como antes.

CIDCLI

D.R. © CIDCLI, S.C.
Av. México 145-601, Col. del Carmen
Coyoacán, C.P. 04100, México, D.F.
www.cidcli.com.mx

D.R. © Rocío Miranda, 2010
Ilustraciones: Fabricio Vanden Broeck
Coordinación editorial: Elisa Castellanos
Diseño gráfico: Rogelio Rangel

Primera edición, septiembre 2010
ISBN: 978-607-7749-17-2

Impreso en México / *Printed in Mexico*